¿Cómo dicen?

Para Fraser Anthony

Para mi ahijado Aussie

y sus padres, Jenny y Tony

Acknowledgments
¿Cómo dicen?, originally published as *Mice Squeak, We Speak*, a poem by
Arnold L. Shapiro and Tomie dePaola. Illustrations copyright © 1997 by Tomie
dePaola. Text copyright © 1984 by World Book Inc. Reprinted by arrangement
with Penguin Putnam Books for Young Readers, a division of Penguin Putnam Inc.

Photography
33 Don Smetzer/Tony Stone Images **34** Penny Gentieu/Tony Stone Images
35 Andy Sacks/Tony Stone Images **36** Lori Adamski Peek/Tony Stone Images
37 Peter Correz/Tony Stone Image **38–39** Jo Browne/Mick Smee/Tony Stone
Images

Houghton Mifflin Edition, 2003
Copyright © 2003 by Houghton Mifflin Company. All rights reserved.

PRINTED IN THE U.S.A.

ISBN: 0-618-22822-5

1 2 3 4 5 6 7 8 9-QK-08 07 06 05 04 03

Tomie dePaola

¿Cómo dicen?

Un poema por Arnold L. Shapiro

 HOUGHTON MIFFLIN BOSTON • MORRIS PLAINS, NJ

California • Colorado • Georgia • Illinois • New Jersey • Texas

Los gatos ronronean.

Los leones rugen.

Las lechuzas ululan.

Los osos roncan.

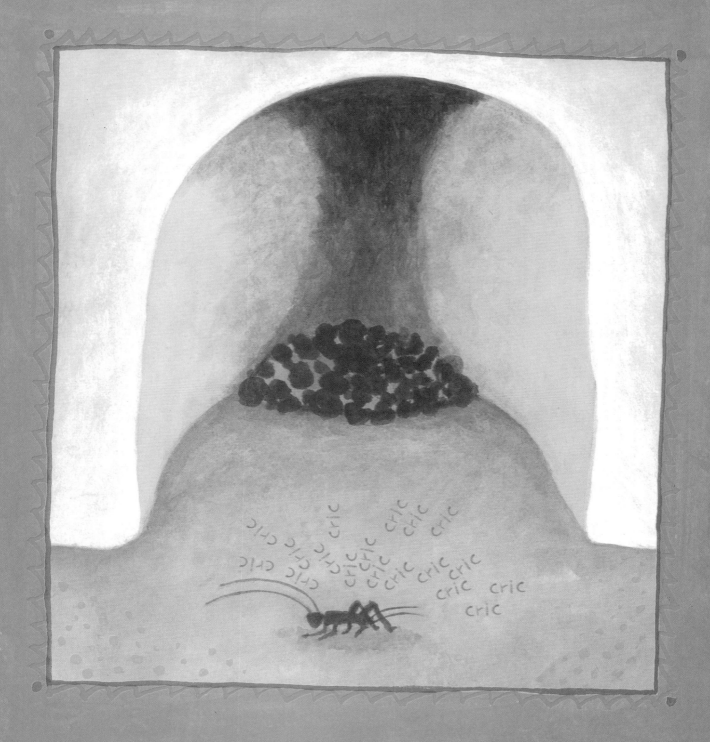

Los grillos chirrían.

Los ratones chillan.

bee-bee-bee

Las ovejas balan.

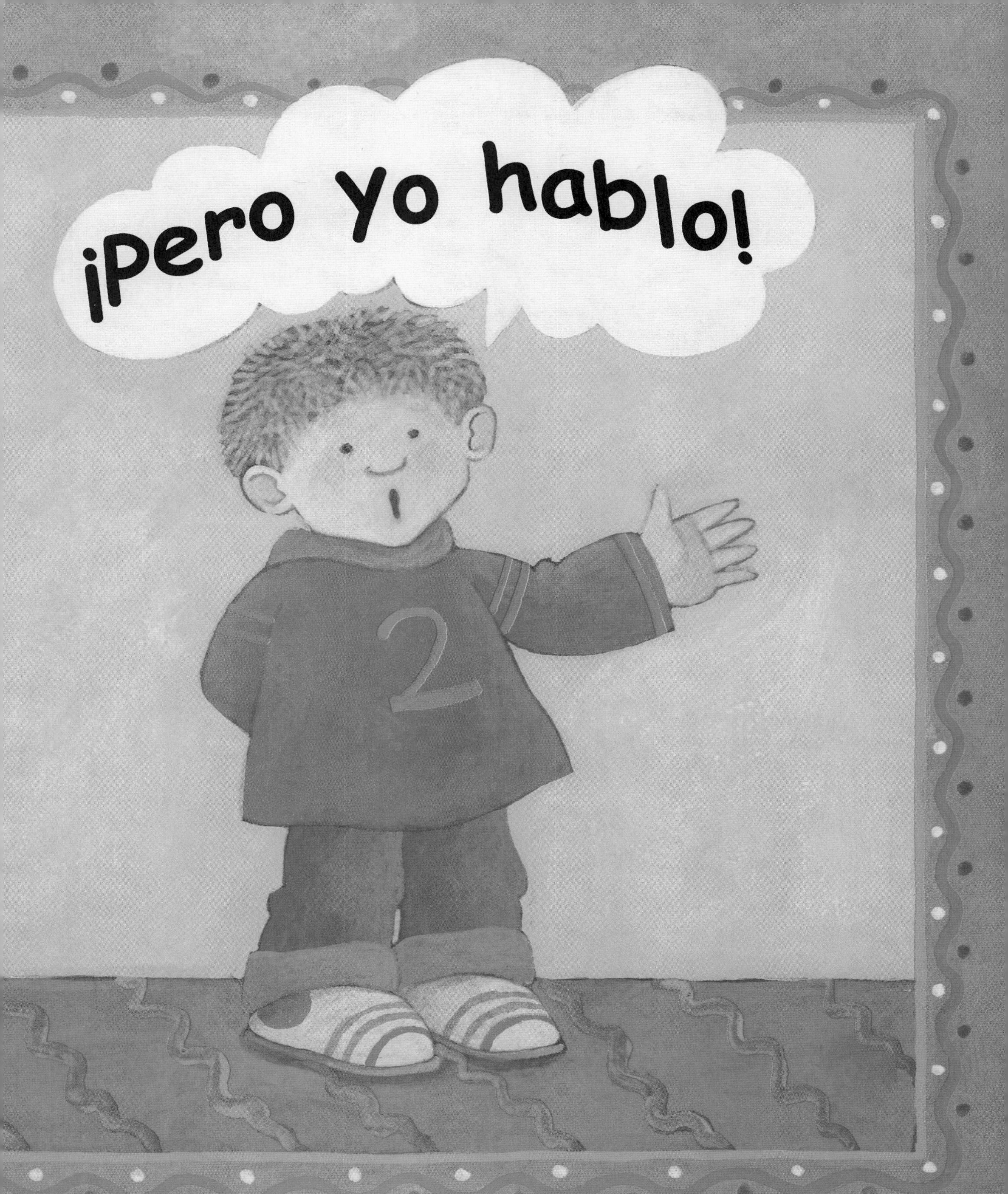
¡Pero yo hablo!

Los monos dan alaridos.

Las vacas mugen.

Los patos graznan.

Las palomas arrullan.

Los puercos gruñen.

Los caballos relinchan.

Las gallinas cloquean.

Las moscas murmuran.

Los perros ladran.

Los murciélagos gritan.

Los coyotes aullan.

Las ranas croan.

Los loros parlotean.

bzz · bzz · bzzz.

Las abejas zumban.

31

¡Vamos a jugar!

Uno puede pintar.

Dos pueden columpiarse.

Tres pueden nadar.

Cuatro pueden patinar.

¿Qué pueden hacer cinco?